# 八月が咲く国

井伊 美津子

*Ii Mitsuko*

文芸社

# まえがき

私は、一九八五年十二月から三カ月間、青年海外協力隊に参加するための訓練を受けました。翌年から二年間、南米のパラグアイという国へ「生活改良」という職種で派遣されるための研修です。パラグアイの公用語は、スペイン語と土着の言語であるグアラニー語でした。それまで一度も学んだことがなかったスペイン語を朝から晩まで学び、一緒に赴任する約百三十人の仲間と寝起きを共にし、同じ釜の飯を食って連帯を強めました。訓練所では、五人が一グループとなって派遣国出身の語学教師から語学を学びました。午前六時起床、六時半から点呼とランニング。五分前集合が課せられて、遅れるとグループ全員が連帯責任ということで、週末の外出を禁止されました。

訓練中に、フィリピンでクーデターが起こり、フィリピンに派遣される隊員たちが不安そうにニュースや報道を見ていた場面が今でも目に焼き付いています。日本では、一九三六年に二・二六事件が起こり、それ以降、クーデターは起こっていないので、身近な出来事として考えたことがなかった私にとって、フィリピンで起こったクーデターは衝撃でした。

青年海外協力隊事業は、日本の外務省と派遣国との取り決めにより行われていますので、クーデターが起こると、その国の新政権と、ボランティアの派遣について改めて取り決めなくてはならないのです。幸いなことに、フィリピンの新政権は、ボランティアの派遣について異論がなかったため、私の仲間は予定どおり、フィリピンへと出発することができました。

この本で私は、「人との出会い」をテーマにしました。パラグアイでは、悲しいこと、理不尽に感じたことがたくさんありましたが、もともと私は楽観主義者ですので、現地での生活を満喫できました。

私は、スペイン語の習得のために、赴任中も毎日現地の新聞を読んでいました。パラグアイを離れる前に、信じられないような悲しい記事に出合いました。パラグアイでは国民の大部分がカトリック信者のため、妊娠中絶を合法で行うことができませんでした。キリスト教では、神のみが、人の生死を司《つかさど》ることができるからです。ですので、妊娠した女性のほとんどが、パートナーとの入籍や認知がなくても子どもを産みます。

非合法なことを行うグループが、望まない妊娠をした女性から生まれた子どもを買い取り、首都アスンシオンの一室で育てた後、「内臓から薬をつくるために外国に売り渡している」と、その記事には書いてありました。医師として派遣された仲間はいなかったので、獣医師に、「赤ちゃんの内臓から薬をつくることの可能性」について尋ねたところ、むしろ、臓器移植のためではないかと言いました。

警察がその一室に踏み込んだ時には既にもぬけの殻となっており、犯人を検挙することはもちろん、赤ちゃんを救い出すことさえできず、「継続捜査をする」と、記事は締めくくられていました。

　裕福な国がそうでない国に、経済的・技術的援助を行っておきながら、一方では、戸籍のない赤ちゃんを買い取って非合法な臓器移植をするということが行われていたならば、大きな矛盾だと思います。海外で現地の人とふれあうこと、また、生活しなければ経験することができない矛盾と向き合うことなど、海外に行くことによって得られる収穫は大きいと思います。新型コロナウイルス感染症による出入国制限が緩和されたとはいえ、いまだ海外に行くことに大きな勇気がいると思いますが、どうぞ、海外を訪ねて新しいことを発見してください。

目次

# 一　父

「日本を出発したときは春だったのに」

美津子は、ジェット機の窓からまっすぐに広がる平原を見下ろしながら、日本を出発した時の情景を思い出した。

美津子は、父の運転する乗用車で、見送りのためについてきた妹と一緒に広島駅に到着した。美津子は東京行きの切符を買い、父と妹は入場券を買って三人でホームに向かった。東京行きの新幹線ひかりが到着し、美津子は大きなスーツケースを持ち上げてドアの内側に乗り込んだ。美津子が父に背を向けたほんの少しの瞬間に、美津子は父の姿を見失い、新幹線のドアの内側から窓越しに父の姿を探した。新幹線が動き始めた時に、美津子はホームの柱の陰から美津子をじっと見つめる父の姿をとらえた。父は泣いていたようだった。

美津子が中学生の時、美津子の母親の知り合いが青年海外協力隊に参加した。彼は機械工学の技術者としてアフリカのザンビアに赴任し、その彼が帰国した後、美津子は彼と食事を共にする機会があった。とても野性味あふれる魅力的な人物で、食事中に輪ゴムで目の前を飛んでいたハエを撃ち落とした。ザンビア時代には、二台の壊れたオートバイのいいところをつなぎあわせて一台のバイクとして再生したなどという、おとぎ話のような話を聞かせて美津子を笑わせた。

美津子は、短大で栄養学を学んだ後、スーパーマーケットの企画室に就職したものの、ザンビアに行った彼に対する憧れの念は消えることがなく、二十四歳の時に退職して青年海外協力隊に参加することとなった。要請国によっては、四年制大学卒が要件になっていたり、管理栄養士取得者であることを要件にしたりしている国もあった。美津子は、自分の学歴と資格で赴任できる数カ国の中から、一番遠いパラグアイを希望した。「どうせ行くなら、なるべく旅行では選びにくい国にしたい」という単純な理由からだ。

美津子が青年海外協力隊に参加したいと家族に意思表示した時から、美津子の父は反対していた。「嫁に行くような年齢になって、地球の裏側にあるような国に何年間も行きたいとはどういうことだ」と父は言った。

しかし、青年海外協力隊に参加したいという美津子の望みは強く、父の反対を押し切って赴任することになった。

日本を出発した後、メキシコで六週間の語学研修を受け、パラグアイに到着したのは五月半ばであった。

パラグアイに到着した美津子は、広島駅で見た父の初めての涙と、ホームに吹いていた三月の冷たい風を思い出しながら、眼下に広がる平原を見下ろした。ソフトクリームのような雲、平原に映る雲の陰、そしてところどころで放牧された牛が草をはんでいた。南半球に位置するパラグアイの季節は秋、雨季に入る直前であった。

## 二　カストール

機内からパラグアイの草原を見下ろしてから数十分後、美津子と同期の二人はパラグアイの首都、アスンシオンの郊外に位置するストロエスネル空港に到着した。

ストロエスネル空港には、カストールという名の現地採用のＪＩＣＡ職員が迎えに来ていた。流ちょうだが現地訛《なま》りの強いスペイン語で、入国管理局職員に、美津子たちの入国の目的を早口で説明した。

カストールは、日本人移住者の二世か三世であった。パラグアイにおける日系人移住者の歴史は古く、二十世紀初頭に最初の移住者が日本からパラグアイに渡った後も、日本からの移住者は絶えず、現在までに約七千人が移住したと言われている。日系人の多くは当時、農場経営にたずさわっていた。一世は、成人してから移住しているためスペイン語が苦手で、家族とは日本語でコミュニケーションを取っていた。二世、三世は、基本的には現地の小学校で授業を受けるため、読み書き共にスペイン語を得意とする人が多い。現地の小学校では半日スペイン語で授業を受け、半日は日本人学校に通って日本語の読み書きを習うのだ。カストールは、東洋系の容姿を持つ日系人で、パラグアイで誕生し、パラグアイの大学を卒業した。スペイン語を得意とする日本語とのバイリンガルだ。

美津子たちは、手荷物検査を受けることもなく、パラグアイに入国した。カストールが運転する協力隊の公用車でアスンシオンの中心地へと向かい、ドイツ料理レストランで、青年海外協力隊パラグアイ事務所の職員や、パラグアイに駐留している大使館職員と昼食をとる運びになっていた。美津子はドイツ料理を見るのは初めてだった。また、メニューに書かれていたスペイン語の料理名もよく分からなかった。カストールが料理の内容を説明してくれたので、美津子たちは、串に刺された牛肉のグリルを注文することにした。

パラグアイ事務所の職員や大使館員は、皆「ムニッチ」というドイツビールを注文した。驚いたことに、カストールもビールを飲んでいた。美津子は、「車で来てるのに」と独りごちた。

カストールとの出会いで印象に残っている出来事がある。

パラグアイは当時、全土に八十人ほどの協力隊員が派遣されていた。農業、医療従事者、獣医師、音楽や体育の教員、栄養士などにより、住民への技術面での援助がなされていた。基本的には、それぞれの配属先で、共に活動する現地のスタッフ「カウンターパート」を持ち、一緒に技術指導を行うことになっていたが、美津子が着任してみるとカウンターパートは存在しなかった。美津子は、日本へ青年海外協力隊を要請したパラグアイの農牧省（パラグアイでは、畜産が主要産業であるため、当時はそのような省名だった）に対して、美津子たち外国人技術者への協力、援護を希望した。任期途中、美津子が指導していた編みもの教室の教え子と共に農牧省を訪問し、大臣による視察を要望したものの、なしのつぶてであった。

四半期ごとにパラグアイのＪＩＣＡ※事務所に向けて提出する報告書に、視察に来てもらえないことへの恨み辛みをスペイン語でしたためて送ったところ、カストールから呼び出しを受けた。カストールから報告書の書き直しを指示されたことで、美津子は気分を害し、カストールに反論した。「私たちは視察を要望したのに、農牧省から誰も来なかったのは本当のことです。だから、報告書には、お役所が私たちの要望に応じなかったことをありのままに書きました」と美津子は言った。

カストールは、美津子の話を最後まで聞いた後、「あなたは、パラグアイを批判しに来たの」と尋ねたのだった。美津子が黙っていると、カストールは、「あなたはパラグアイに協力しに来たんでしょう。だったら、批判ではなく、協力関係が進展するような文章に書き直した方が得策だと思うよ。大臣という固有名詞を使わず、『農牧省からの視察はまだ実施されていない』という書き方でいいと

※ＪＩＣＡ：国際協力事業団（当時）青年海外協力隊事業を実施

思うけど」
カストールの助言は的を射ており、美津子は報告書を書き直した。

## 三　Kさん

パラグアイ到着の翌日、美津子は現地事務所のKさんに、美津子の赴任地であるヘネラルベルナンディーノカバジェロへ連れて行かれた。Kさんは、もともとは協力隊員としてパラグアイに赴任していたが、任期終了後にパラグアイ女性と結婚し、その後、ＪＩＣＡ協力隊事務所員としてパラグアイ人の妻を連れて再び駐留していた。

赴任地のヘネラルベルナンディーノカバジェロは、首都アスンシオンから東へ約百キロ、国内の十七県のうちの一つ、パラグアリ県の東に位置する人口約千人の小さな村だった。

コロンブスによるアメリカ大陸発見以降（と言うものの、アメリカ大陸は発見される前からそこに存在していたと美津子は思っている）、中南米の国々では常に、欧米による影響力を背景とした、国と国との戦争が絶えなかった。二十世紀初頭に、パラグアイはボリビアと国境付近の領有権争いから戦争を行っている。赴任地の長たらしい村名、ヘネラルベルナンディーノカバジェロは、その戦争で活躍した将軍の名前だそうだ。

美津子は、ヘネラルベルナンディーノカバジェロの名士であるペドロ氏の離れに下宿することが決まっていたようで、下宿に着くとKさんは、家主のペドロと小一時間、村の情勢について語り合っていた。

## 四　ドンペドロ

美津子の下宿の家主、ペドロは弁護士の資格を持ち、公証人役場で働く五十代の紳士であった。妻の名はチョーナ。パラグアイでは、名士の呼称の頭にドンを、名士の奥方にはニャを付けて呼ぶのが通例であり、美津子もそれにならって主人をドンペドロ、その妻をニャチョーナと呼んだ。

美津子は、夫妻の住む母屋から数メートル離れた別棟の一部屋を与えられた。ベッド、一人用の蚊帳《かや》、整理ダンスが一つある簡素な部屋で、広さは八畳ほど。その部屋に、美津子は大きなスーツケースを持ち込み、荷物を取り出して部屋の整理ダンスに詰め直した。

パラグアイの国土は、日本の約一・一倍、周りをブラジル、ボリビア、アルゼンチンに囲まれた内陸国で、国を南回帰線が横断している。美津子が赴任した当時のパラグアイは、アルフレド・ストロエスネルというドイツ系移民の大統領による長期政権の下、経済的に安定し、中南米としては珍しく、地下組織による麻薬の売買や紛争に市民が巻き込まれることも少なく、国民は平和な生活を送っていた。

公用語はスペイン語と、土着の言語であるグアラニー語で、学校の授業はスペイン語で行われるものの、パラグアイ人同士はグアラニー語で会話し、美津子などの外国人に対してはスペイン語で応対してくれた。
美津子は、ペドロ邸の離れで、三食付き月額千五百円の賃貸料を払うことになった。パラグアイの朝食は六時。マテ茶と牛乳を割って砂糖を加えたコシードと呼ばれるお茶を飲みながら、ガジェータという直径五センチほどの硬いパン、あるいは、パリージョと呼ばれる細長いパンをかじる。毎朝、美津子は食堂で、ドンペドロに会うたびに握手し、両ほおへキスをした。そして、「元気ですか」「元気ですよ、あなたは」という一連のあいさつを交わした。

美津子がパラグアイに赴任した一九八六年は、サッカーワールドカップ・メキシコ大会が開催されているさなかであった。村でテレビを持っている家庭は数えるほどであったが、ドンペドロの家にはテレビがあり、パラグアイも参戦していたことから、パラグアイ戦の日は、三十人ほどの村人が集まってテレビで観戦し、ペドロ邸はさながら今でいうパブリックビューイングのようであった。赴任前、日本でワールドカップの話題を耳にしたことのなかった美津子は、「サッカーにおいては、パラグアイが先進国、日本は発展途上国なんだな」と理解した。

パラグアイチームの中でもブラジルのクラブチームで活躍していた「フリオ・セサル・ロメロ」という選手は特に人気があった。一九八五年には南米最優秀選手に選ばれるほどの実力だったらしい。パラグアイでは、ロメロ選手をたたえる歌が作曲され、子どもたちが口ずさんでいた。サビの部分の歌詞は、「ロメロちゃん、ロメロちゃん、ロメロちゃん、ゴールの男」となっており、美津子は、「『ゴールの男』と賛美しながら、ちゃん付けとは、なんと不思議な歌詞」と思った。その年、パラグアイは惜しくもイングランドに負けた。

パラグアイの人々のイギリス人への憎しみは相当なものであった。

パラグアイに伝わる「サンファァン」という火の神様の祭りでは、毎年人型の人形に火をつけて供養したり、真っ赤に焼けた木炭の上を、有志が裸足で渡ったりする習わしがあった。その年の祭りでは、イングランドの選手に模《も》したかかしに火が付けられて歓声が上がった。このイングランドへの仕返しをするかのような催しが行われたのは、きっと、美津子が住んでいた村に限ったことではなかっただろう。

ペドロ家では、ペリーという名の大型犬を飼っていた。家族には至っておとなしいが、夜、美津子の友人がポンチョを着て訪ねてきた時などは、激しくほえて威嚇《いかく》した。ペリーが本気で人間を襲ったら、命の保証はない。ペドロは夕食の肉のかたまりを、惜しげもなくペリーに与えていた。パラグアイでは皆、大きな犬にはペリー、中型犬にはラッチという名前を付けていた。小さな犬はパラグアイでは人気がなく、パラグアイでは犬は単なる愛玩犬《あいがんけん》という存在ではなかったようだ。三年間の在外生活で小型犬を見たのは一度だけで、しかも、「ペリン」という奇妙な名前を付けられていた。

## 五　ホセフィナ

ペドロ家には、ホセフィナという十歳の女の子とフリオという五歳の男の子が居候していた。二人はペドロ夫妻の子どもではなかった。パラグアイには、名付け親制度がある。古いイタリアを舞台とした『ゴッドファーザー』というマフィアのボスとその家族を題材にした映画があったが、まさに映画の中の「名付け親制度」がパラグアイにも息づいていた。ペドロ夫妻は、何人かの子どもの名付け親になっており、経済的に困窮《こんきゅう》した子どもを、引き取って育てていたのだ。

ホセフィナは、パラグアイ人の中でも比較的スペイン人の血が濃く容姿に現れており、白い肌、金髪の美少女だった。

パラグアイの主食であるマンディオカ（アフリカで食べられているキャッサバ）の下ごしらえのために、ホセフィナは朝五時に起床してキャッサバの皮むきを始める。ホセフィナはペドロ家から小学校に通わせてもらって、日用品なども買ってもらい、食事を提供してもらう代わりに家事手伝いという労働でその対価を払っていた。

着任当初、美津子は語学が未熟だったため、すぐに任務につくことができず、ペドロのすすめに従って、ホセフィナと一緒に小学校に通うことになった。パラグアイの小学校は六年制で、午前と午後の部に分かれている。子だくさんのパラグアイでは、年長の子どもが弟、妹の面倒を見たり、親の仕事を手伝ったりするため、学校に通えるのは半日だけだった。

小学校の教科書は学年ごとに一冊。義務教育中だというのに、書店で購入しなければならなかった。美津子はアスンシオンの書店で五年生の教科書を買い求め、ホセフィナと共に午前の部の授業を受講した。

小学校の朝は、校庭での国歌斉唱《せいしょう》から始まる。国歌斉唱のさなかに遅刻してきた児童は、その場で立ち止まり、右手を胸に当てて国歌を斉唱しなければならない。国歌が流れ始めると小学校に限らず、その場に起立し斉唱することは、パラグアイの常識だった。後日、美津子がアスンシオンで映画館に足を運んだ際、映画と映画の間に国歌が流れ始めると、館内にいた全員が立ち上がり、胸に手を当てて国歌を歌い始めた。

パラグアイの公用語の一つであるグアラニー語は、ポルトガル語を公用語とするブラジルでも通用する、いわば国境なき土着の言語であり、もともとは筆記文字を持たない言語であった。小学校での授業はもう一つの公用語であるスペイン語で行われるが、児童同士はグアラニー語で会話していた。それでも、彼らのスペイン語力が美津子より高いという事実に、美津子はジレンマを感じた。

授業の合間には物売りが、棒アイスを売りに来た。細長いビニール袋に砂糖水を入れて凍らせた一袋二円のそのアイスを、児童たちは楽しみにしており、気前よく美津子に一本おごってくれる児童もいた。

雨が降ると学校は休校となる。パラグアイではスコールのような大雨が、短時間のうちに川を氾濫《はんらん》させることがあり、幼い児童にとって雨の日の登校は命がけになることがあるので、「雨の日は休み」というのは暗黙の了解であった。

パラグアイでは、セマナサンタ（日本で言うところのお盆）には、全ての祝い事を行うことができない。それ以外の季節では、土曜日の夜ともなると広場でダンスパーティーが開催された。

同じ赴任地の先輩隊員から初めてダンスパーティーに誘われ、美津子は日本から持参した浴衣を着て行った。紺地に黄色いひまわりが染め付けられた浴衣に、オレンジ色の派手な帯を巻いてダンスパーティーに行くと、若いパラグアイ男性たちは皆、美津子に注目した。パラグアイでのダンスパーティーは、入り口で入場料を払うと誰でも参加することができる。カップルで参加する者もいれば、単独、あるいは同性同士で来て、パーティーで相手を探す者もいる。必ず男女が対になって踊るため、美津子は最初、ダンスの輪からはずれて踊る男女を眺めていたが、すぐに男性から誘いがあり、男性と一緒に踊り始めた。その男性は美津子の耳元で、「ボレロを一緒に踊って」とささやき、美津子は「ボレロ」の意味が分からないままに、「いいよ」と答えた。

しかし、曲目がスローなテンポに変わって、カップルたちがチークダンスを踊り始めると、すかさず背の高いイケメンが美津子の前に滑り込み、「一緒に踊ろう」と誘ったので、美津子はパートナーを変えて、イケメンとチークを踊ったのだった。後に、美津子は「ボレロ」がチークダンスのことだと知った。

## 六　訃報

美津子が着任して一カ月後、Kさんの訃報《ふほう》を受け取った。雨の強い日に、妻を助手席に乗せて車を運転していたところ、街路樹が倒れて車を一撃、Kさんは、ほぼ即死の状態だったらしい。Kさんの妻も重傷を負ったが一命を取り留め、夫の葬儀には車椅子で参列した。パラグアイの街路樹は、一見青々として見かけが美しいユーカリが植えてあったが、ユーカリは根を深く張らないため、横からの風に弱い。そのため、強風によって倒れたユーカリの木が、たまたま走行していたKさんの車を直撃したらしい。

Kさんとのお別れの会は、日本大使館で行われ、美津子も含め、栄養士隊員が立食用の料理を作るようJICAパラグアイ事務所から依頼された。協力隊として栄養学を指導していた美津子たちは、アスンシオンの隊員連絡所で、通夜の席で供されるおつまみを作った。

Kさんは、パラグアイの墓地に眠ることになった。スペイン語でセメンテリオと呼ばれるその墓地は、外観は小型のマンションのような作りになっており、棺を入れるための四角い穴が整然と並んでいる。棺が納められる瞬間、協力隊員が、妻の車椅子を棺の高さまで持ち上げ、妻は泣きながらKさんの棺にキスをした。

Kさんの妻は、その後けがが完治し、亡き夫がアスンシオンで購入していた高級マンションで、協力隊員向けの下宿屋を始めた。妻は小柄な女性だったが、とてもよく働くと評判であった。下宿人である美津子の友人は、「Kさんの奥さんは、本当によく働く人で、手がいつもすごく荒れている。食事に手を抜かない人で、朝食にレバーペーストを出してくれて、パンに塗って食べるとすごくおいしいのよ。レバーに何か香辛料を混ぜてるんだと思うけど、あんなにおいしいレバーペースト、初めて食べた」と話した。

## 七　編みもの教室

当時のパラグアイの主要産業は、綿花と大豆の栽培であった。綿花については国内ではほとんど製品化せず、ブラジルやアルゼンチンなどの隣国に輸出して、製品化した繊維や糸を輸入していた。国内で製品化できる糸は、染色のされていない素朴な生成の綿糸のみだった。

美津子が小学校に通い始めて二カ月後、前任者が教えていた編みものを教えてほしいという要望が美津子に寄せられ、小学校でのスペイン語習得に終止符を打って、編みもの教室を始めることになった。

美津子が着任する約四年前、美津子が赴任したヘネラルベルナンディーノカバジェロ村でユニセフのプロジェクトが立ち上がった。プロジェクトの目的は住民の生活改善であり、北米の平和部隊と日本の青年海外協力隊に技術者が要請され、野菜栽培、農協経営などの技術を有する者や、保健師、体育教師、栄養士が集められた。当時、北米の平和部隊は、電気や上水道のない未開の地で活動することを希望する者が多く、プロジェクトに招へいされたものの、村落での業務を嫌って、僻地《へきち》に居を構えたことから、日本隊員との接点はなかったらしい。

美津子は、三カ年のプロジェクトが終了した後に、前任者の交代要員として着任した。前任者が編みものの指導をしていたことから、編みもの教室再開の要望が強く、美津子は、編みものの指導を中心に、不定期で、保健師隊員と共に僻地の集落を訪れて衛生と栄養についての指導も行うことになった。

ユニセフは、プロジェクト発足と同時に、村の中心に、保健師が使う診療室や、栄養士が調理実習を行う西洋式の厨房を備えた「タジェール（日本語で工場の意）」を建設した。タジェールには、工業用ミシンが二台設置され、編みものを教えるための広い作業台もあった。美津子は公募で生徒を集め、タジェールで編みものを教え始めた。安価で手に入る生成の綿の糸を使い、生徒たちは思い思いに作品づくりに取り組んだ。

ペドロ夫妻の里子であるホセフィナに編みものを習いたいかを尋ねたところ、「習いたい」と答えたことから、美津子は自室でホセフィナに編みものを教えた。ニャチョーナは人使いが荒く、ホセフィナが美津子の部屋に来て編みものを始めると、大声でホセフィナの名前を呼んで家事を手伝わせるのが常であった。そんなわけで、ホセフィナの作品づくりは遅々としてはかどらなかった。

そのうち突然ホセフィナがいなくなったので、ニャチョーナに尋ねたところ、「あの子は男の子と親しくするので、責任もてないと思って親元に帰した」と答えた。

## 八　パラグアイのオートバイ事情

当時、隊員には原則車の運転が認められていなかった。そこで、赴任直後に、先輩隊員によるオートバイの乗り方訓練が行われ、運転の技量が認められた者に、JICAからオートバイが貸与された。

美津子は週二回、タジェールで教室を開催したほか、協力隊から貸与されたオートバイで周辺の村に行き、民家を借りて編みものを教えた。

パラグアイでは、オートバイを戸外で保管する者は一人もいない。美津子もオートバイを居間に置いていた。オートバイのナンバープレートは、役場でお金を払えば即日交付されるが、交付されたプレートは、自分でオートバイに付けなければならない。他地区に赴任した隊員の中には、出先で、駐輪したオートバイからナンバープレートを三回盗まれたため、ナンバープレートは鞄《かばん》に入れて持ち歩いていた。警察から職務質問された時には、鞄からナンバープレートを出して見せて、鞄に入れている理由を説明していたらしい。

## 九　フリア

編みものの生徒を募集したところ、約五十人が公募に応じ、その中に十七歳のフリアがいた。美津子の生徒のうち、大部分を占めたのは中学生

民家を借りて編みものを教えていました（中央の髪の長い女性が美津子）

と未婚女性であったが、中には小学生や既婚女性もいた。

パラグアイでは、小学校の六年間のみが義務教育であり、希望者が六年制の中学校に進学する。中学校になると授業は三部制で、午前、午後、夜間に分かれた。フリアは中学校には通っておらず、家で家事を手伝っている様子だった。

フリアはタジェールから比較的近いところに住んでいたため、毎回欠かさず教室に通ってきた。

編みものでは、偶数段と奇数段では編み方が逆になるため、美津子は常に、段数に注意するよう指導していた。フリアが自宅で編んできた作品を見た美津子は、「今、あなたは六十八段目を編んでいるよ。六十八は偶数だから」と話しかけ始めた。するとフリアは、「六十八って偶数？」と聞き返すと、「二、四、六、八、十、十二」と二から順に偶数を数え始めた。そして六十八まで数えると、「ほんとだ。美津子の言うとおり、偶数段だ」と納得したようだった。

フリアはある日、他の生徒が帰った後、美津子にある提案をした。

「美津子の洗濯物を私に洗わせてくれないかな。六枚百円で、アイロンも掛けるから」

美津子は、自分の衣類を手洗いすることを面倒とは感じていなかったが、フリアの家庭の経済状況をおもんぱかって、フリアに洗濯を頼むことにした。フリアは依頼されたことをとても喜び、毎週美津子の洗濯物を持って帰っては、きれいに洗ってアイロンかけをして美津子の元に届けた。

ある日、フリアは泣きそうな顔をして美津子に洗濯したての衣類を差し出した。それは、美津子がブラジルで買った手刺繍《てししゅう》のナイトガウンだった。アイロンがけをした時に、アイロンから火の粉が飛び、ナイトガウンを焦がしてしまったとフリアは説明した。焦がした箇所は、あて布がされ、きれいに繕ってあった。

美津子にとって、ナイトガウンの焦げはさほど問題ではなかったが、「アイロンから火の粉が飛ぶ」という状況がイメージできなかったので、フリアに説明を求めた。フリアの家には電気がなく、フリアは川で洗濯して干した後、アイロン上部の鋼《はがね》部分に、赤く熱した木炭を入れて、木炭の火力でアイロンを掛けていたのだった。貧しい少女の生活状況を知って美津子は愕然としたが、そのことを表情に出さないように気遣いながら、「うまく繕ってあるから、私は全然気にしないよ」とフリアをねぎらった。

雨降りのある日、フリアは馬に乗って美津子の家を訪れた。フリアは自宅で編んでいて行き詰まったので、教えてもらいに来たと言った。馬の手綱を外塀にくくりつけて美津子の家に入ると、フリアは美津子と居間でひとしきり編みものをした。ひと通り教授を受けるとフリアは、「そろそろ帰るんだけど、馬に乗るための台を用意してくれない？」と美津子に頼んだ。

フリアは馬に乗る時、身長が低いので地面から馬の背中に直接飛び乗ることができない。美津子は食卓の椅子を馬のそばに置いてやった。フリアは椅子の上にのぼってから馬の背中に足をかけた。そして、馬に乗って美津子の家を後にした。

美津子は、青年海外協力隊の仲間や、ＪＩＣＡの事業で派遣された専門家に希望を募って、生徒に作品を編ませることを思いついた。編みものの手間賃が、貧しい生徒たちの現金収入になる。そこで美津子は、不定期に発行していた青年海外協力隊のパラグアイ国内向けの機関誌で、セーターの購入を呼びかけたところ、たくさんのセーターの購入希望者が集まった。希望者一人一人から、希望するセーターのタイプを聞き取って、美津子がアスンシオンのメルカード（市場の意）でセーターを編むための毛糸を購入した。そして、村に戻って生徒に制作を依頼した。パラグアイでは、毛糸を生産する工場がないことから、チリ製、アルゼンチン製の毛糸がメルカードで売られていたが、輸入品のために高価であった。一着分のセーターに必要な毛糸代は七百円から千円であり、現金収入がほとんどない田舎の女性たちにとっては、手の届かない金額だった。生徒たちは嬉々《きき》として作品づくりに取り組み、出来上がると材料費と同じ金額の手間賃を、美津子から受け取った。

当時、ペドロ邸には家政婦がいた。月曜から土曜まで午前中働き、ペドロ邸で昼食を食べて帰っていた。その家政婦の月給が七百円だったことを考えると、手編みの手間賃は生徒にとって割のいいアルバイトであったに違いない。

　フリアは、家計の足しにするべく一生懸命作品づくりに取り組んでいた。そんなある日、週末に行われたダンスパーティーで、美津子はフリアらしくない姿を目にしたのであった。広場の隅で泣くフリアの周りを数人の女性が囲んでいた。少し離れたところに男性のグループがおり、フリアの方をちらちらと見ながら何やら話している。声を掛けることがはばかられる雰囲気を感じ、美津子は遠くから眺めていた。フリアは一時間以上も泣いており、美津子が帰途につく時もまだうつむいたままで、周りの女性たちがフリアを慰めているようだった。

　しばらくフリアは美津子の前に現れなかった。他の生徒が、「フリアは妊娠したけど、恋人が入籍も認知もしないって言ったから、子どもを一人で育てるって言ってたよ」と、美津子に教えてくれた。

　数カ月後、フリアは少しふくらんだお腹でタジェールに現れた。美津子が、

「妊娠おめでとう」と声を掛けるともじもじとはにかんでいた。そして、以前と変わらず編みものを始めた。

## 十　引っ越し

美津子は、着任して半年もたつと、ペドロ邸を出て、一軒家を借りる計画を立て始めた。パラグアイは、国土のほとんどが平地である。先輩隊員の中には、家の中でテニスの壁打ちができるような豪邸に住む者もおり、パラグアイならではの贅沢《ぜいたく》を経験するために、美津子は空き家を物色した。

ペドロ邸から二百メートルほどの場所に、美津子が一人で住むのにもってこいの物件があった。広さ六畳ほどの台所兼シャワー室、六畳の寝室、十五畳ほどのダイニング。家主を調べたところ、隣村のベニテスという人であることが分かったので、美津子は、協力隊から貸与されたオートバイでベニテスを訪ねた。

ベニテスは、五十代くらいの男性で、ラッキーなことにスペイン語が堪能であった。美津子が空き家を借りたいと申し出ると、ベニテスは二つ返事でオッケーと言った。美津子からの条件は、シャワーとトイレを家主が設置することであり、ベニテスは月額七百円で空き家を貸すことに同意した。

それから程なくして、ベニテスは牛車に乗ってやってきた。庭に深い穴を掘ると、その上に木材で囲いを作り、真ん中をくりぬいた板を穴の上に置いて、そこで用を足せと言う。ベニテスが板に空けた穴は、直径七～八センチしかなく、美津子が、「穴が小さすぎる」と意見すると、ベニテスは意味ありげにくっくと笑った。「セニョリータは、この穴じゃ用が足せないのかな」と言うと、板をいったんはずして穴を広げてくれた。

シャワー室は簡素なものだった。ベニテスは、シャワー用のカランとプラスチックの管、それにビニールホースを接続して戸外の蛇口から直接水を取り、冷水のシャワーが浴びられるように細工をした。料理をするための水、茶碗を洗うための水も、全てこのシャワーが頼りだった。以前、この家に住んでいた者は上水道を使っていたらしく、水道管が自宅の庭まで引かれていたので、美津子が役場に行って口頭で申請するだけで水道が使用可能となった。

電気はもっと複雑だった。アンデという電力会社が指定するメーターを購入し、メーターを設置するトーテムポール様の柱を敷地内に建てなければならなかった。近所の若者がアンデでアルバイトをしていたので、美津子は、その若者に柱の設置を依頼した。若者は煉瓦《れんが》を買ってきて積み上げ、半日ほどでメーターを設置する柱が出来上がった。

いつアンデがやってきて電線をメーターに接続するのか、気をもんでいたところ、借家の隣に住んでいたセニョーラ（奥さんの意）が、驚くべき申し出をしてくれた。隣家の電線を引き延ばして、美津子の借家の電線に接続し、しばらくの間、隣家の電気を使えと言うのだ。日本で同じことをしたら電気窃盗で検挙されるやり方だったが、美津子は同意し、約二カ月間、隣家の電線を利用した。電気代を折半しようと隣家から提案され、美津子はその提案をのんだ。

ペドロ邸から新居へと引っ越しをしてからも、美津子はペドロ家の財布事情を勘案して、夕食については月極めでペドロ家でいただくことにした。夕食どきにペドロ家に通う習慣は半年ほど続いたが、ニャチョーナは、美津子が払う食事代のプラス分と、支度の手間賃のマイナス分とを相殺したところ、手間のマイナス分が大きいと判断して半年後、美津子に夕食を提供することを断った。

## 十一　隣の家のセニョーラ

美津子の家に電気が引かれるまでの間、電線を盗用させてくれた隣の家のセニョーラは、四十歳くらいで明るい性格の女性であった。三歳くらいの双子の男の子を育てていたが、美津子はその子たちがしゃべるのを聞いたことがなかった、セニョーラによると、「なかなか子どもに恵まれなくて、やっと妊娠したと思ったら双子だったのよ。高齢出産だし、育てるのも大変だった」そうだ。

クリスマス直前、このセニョーラから、「クリスマスに豚を一頭つぶすから、四分の一買ってくれない」と、美津子に提案があった。美津子は、四分の一キロ、つまり二百五十グラムのことを言っているのだろうと思い、二つ返事で承諾した。しかし、クリスマス直前にセニョーラから届けられた豚肉は、豚の後ろ脚一本で、なんと十二キロもあった。豚の脚四本の、一本ずつをそれぞれ四分の一と呼ぶらしいことを、美津子はその時初めて知った。美津子は、自分の語学力のつたなさを悟られぬよう、何食わぬ顔で代金を払うと、豚の脚を両手で受け取り、冷蔵庫にしまった。そして即座に、親しくしている既婚の女性の家を訪問し、豚の脚のさばき方について相談した。

美津子から「四分の一の勘違い」について説明を聞いた女性は大声で笑い、「これから私がさばきに行ってあげる」と言うので、美津子は解体をお願いした。

美津子の家に着くと、女性は持参した小さな包丁で一時間のうちに豚の肉を骨からはずしてくれた。「この骨だけで料理が作れるから、持って帰って料理して、また美津子に届けるわ」と言ったが、美津子は、「骨をはずしてくれただけで十分だから、骨で料理が作れるなら、家で食べて」と女性の親切な申し出を断った。しかし、女性は約束どおり、骨からはずした小さな肉片で作った炒め物を美津子の家に届けたのだった。

セニョーラは、自宅にテレビを

美津子の家に来て豚の脚をさばいてくれた女性（右端）とその家族。左から2番目が美津子

持っていたので、村の中では裕福な部類に入る。そのテレビでセニョーラは、日本のドラマやアニメを観ていたようだ。

ある日、セニョーラから、「美津子、日本では、年を取ると山に捨てられるんだね」と話しかけられて驚いた。『楢山節考』という日本の映画を観て、現代の日本でも年寄りを山に捨てに行くと勘違いしたらしい。当時パラグアイでは、『楢山節考』や『おしん』が人気で、時代背景が分からないパラグアイ人から奇妙な質問をされることがあり、美津子は辟易《へきえき》していた。

ある夜のこと、美津子の家の前を馬が通りすぎ、数分後に向かい側の家で、自宅に帰り着いたとおぼしき主人と、家の中にいる女性が言い争う声があたりに響き渡った。かなり強い口調で言い争っていたが、グアラニー語であったために、美津子には理解できなかった。その後、ピストルの音。そのあと、あたりは静まりかえった。

翌朝早速、隣のセニョーラが柵越しに美津子を大声で呼んだ。いつもなら、美津子が柵に近づく前に大声で話し始めるくせに、このたびは、美津子が柵に近寄るまで待ったところを見ると、昨夜の出来事の顛末《てんまつ》を周囲に聞かれないための配慮らしい。

「私の家の向こうの家のご主人、馬に乗って出張に行っていたらしい。泊まりがけと聞いていたので、奥さんが間男を家に連れ込んでいたんだって。そこへ、予定を変更した夫が帰ってきたんだから大変よ。夫は『扉を開けろ』と言う、奥さんは、『ちょっと待って』と言う。そのうちに夫が怒り始めて、間男の存在に勘づき、空に向かってピストルを発射したんだって」

ひひひひひ。セニョーラと美津子は、声を殺してしばらくの間笑った。

## 十二　レイ

美津子は、村に着任した当初から、先輩隊員たちの友人であるらしいレイという現地の青年の名前を聞いていた。あるとき、農協経営を専門とする隊員の家で、美津子は初めてレイに会った。レイは、美津子より一歳年下の二十三歳。鼻の下とあごにひげを生やし、がっちりとした体型で、美津子を見るとびっくりしたように大きな目を見開いた。先輩隊員によると、レイは礼儀正しい青年で、初めてこの地に青年海外協力隊員が派遣された頃から、日本人と仲良くしている電気技師であった。当時、パラグアイとアルゼンチンの国境には、ジャシレタというダムが建設中であり、レイは、そのダムの電気技師として働いていた。実家がこのヘネラルベルナンディーノカバジェロ村にあるために、レイは二週間ごとに帰省していた。

パラグアイに着任して初めてのクリスマス、美津子はレイからクリスマスのダンスパーティーに誘われた。レイは約束の時間にペドロ邸を訪れると、ドンペドロに丁寧にあいさつし、美津子をダンスパーティーに連れ出す旨の断りを入れた。

レイは、美津子を自宅に案内し、母やきょうだいたちに紹介した。レイの母親は四十代半ばの小柄な女性で、スペイン系の鷲鼻《わしばな》を蓄えたレイとは、骨格や目鼻立ちがずいぶん違う印象だった。きっと、レイは父親に似たのであろう。

レイにはきょうだいが多く、小さな弟はまだ二歳だった。美津子は、レイの母親から手料理をごちそうになった後、レイの部屋に案内された。レイの部屋は、母屋から少し離れた独立家屋で、土間であった。レイは自分の部屋で、自分は妹、弟と父親が違うことを説明した。

パラグアイでは、未婚、既婚にかかわらず、父親に認知された子どもは父親の姓を名乗ることができ、両親の姓を持つことになる。認知がなされないと、母親の姓のみを持つ。ゆえにフルネームを知ることによって、父親の認知の有無が明白となるが、レイによれば、ひとり親であることによる差別はないとのことだった。

レイの母親は、未婚でレイを妊娠した。当時の恋人から父親としての認知は得られたが、入籍はしなかった。その後、レイの母親は現在の継父《ままちち》と結婚してたくさんの妹、弟が生まれた。レイとレイのきょうだいは、父親の姓を異にしていた。

レイは、時々美津子をダンスパーティーに誘ったり、実家に帰省した週末に美津子の家に立ち寄ったりするようになった。「遠出したいから、オートバイを貸してほしい」と頼みに来ることもあった。レイにオートバイを貸すと、洗車し、ガソリンを満タンにして返しに来る。どこで洗車しているのか尋ねると、「川で洗っている」と答えた。美津子の家で二人きりで会うこともあれば、他の隊員と一緒に複数で会うこともあった。

レイは、「僕にも編みものを教えてほしい」と美津子に頼んだ。美津子が、「タジェールで他の生徒と一緒に習いたい？　それとも私の自宅で、マンツーマンの方がいい？」と尋ねると、レイは後者を選んだ。美津子はレイに棒針編みを教えた。レイは太い指で扱いにくそうに棒針を操りながらも、何とかマフラーを完成させることができた。

レイはある日、ピリリータと呼ばれる猛禽類《もうきんるい》を鳥かごに入れてやってきた。ピリリータは、パラグアイの草原でよく見かける鳥で、体長は二十センチほど。全体は茶色で、着地する時に広げる尾羽に白い模様があって美しい。いつだったか、美津子はレイに、「ピリリータって、日本にいない鳥。美しいよね」と話したことがあったのを思い出した。レイがピリリータを入れて持ってきた鳥かごは、時代劇で、浪人者が小遣い稼ぎに作っていた竹製の鳥かごを連想させた。

レイは、「美津子へのプレゼントだ」と言った。「何を食べさせたらいいの」と、美津子が尋ねたが、「虫かな」とひどく曖昧な答えであった。美津子は、殺したハエを何匹か、木製の鳥かごに入れたが、ピリリータは見向きもしなかった。翌朝、ピリリータは死んでいた。

## 十三　レイの母

美津子がパラグアイに着任して一年半後、レイの母親が病気になった。よほど加減が思わしくなかったらしく、地元の病院でなく、県都パラグアリの中央健康センターに入院したという。レイはそれまで、一〜二週間に一度帰省していたが、母親が入院してからは、四〜五日に一度の頻度で帰省するようになった。帰省すると、必ず美津子の家に立ち寄り、「パラグアリに行くから、オートバイを貸してほしい」と言うので、美津子はオートバイを貸した。美津子が母親の病名を尋ねると、「肝炎」と答えた。

レイの母親が入院して二〜三カ月たった頃のことだった。夜中に美津子の家の玄関をノックする者がいた。美津子は、ただならぬ時間の訪問者に、入院中だったレイの母親のことが頭をよぎった。「レイの母親の容態が急変したのでは」と思いつつ、玄関に近づき、「誰？」と尋ねると、「レイ」との返事。玄関を開けると同時にレイはいきなり美津子を抱きしめ、号泣した。

「ママが、死んだ」それだけ言うと、レイは美津子をきつく抱きしめ、しばらく声をあげて泣いた。美津子は掛ける言葉が見つからず、黙ったままレイの背中を抱き返した。

レイはひとしきり泣いた後、「葬儀の準備であちこち行くから、美津子のオートバイを貸して」と言うと、美津子のオートバイにまたがって、暗闇の中を走り去った。

レイの母親の葬儀は墓地で行われた。自宅で最後の対面をした際、レイの母親は痩せてもおらず、まるで生きているかのような美しい肌をしていた。その後、棺にふたをして、親しい者たちが棺を担ぎ、墓地へと向かった。棺の後ろには、生前親しかった者たちが従った。美津子と同じ赴任地で活動していた隊員二人も葬儀に参列した。

首都アスンシオンの墓地で、Kさんの遺体が箱型の墓地に納められたのとは対照的に、墓地には既に深い穴が掘ってあり、レイの母親の棺に縄が掛けられて、何人かの男たちの手によって、そろそろと穴の中に納められた。そして、上から土が盛られ、生花がたむけられた。美津子はパラグアイに喪服を持ってきていなかったため、協力隊の制服である、白いブラウスに濃紺のブレザーとスカートで参列した。参列者の衣装は様々で、黒い喪服を着ている者もいれば、普段着の者もいた。

美津子はその後、何度かレイと共に墓地を訪れ、墓の周りを掃き清めた。棺を納めた時に盛り上がっていた土は、時とともに少しずつ平らになり、半年後には、墓石がなければ、棺が納まっている場所が判然としないほどになった。

レイは、ことあるごとに、母親が亡くなった日に美津子と交わした短い会話のことを話題にした。

「君はあのとき、僕に対して、『ご愁傷様』って言わなかったよね。『ご愁傷様』っていうスペイン語を知らなかったのかい」

美津子は、その話題が出るたびに怒った顔でレイをにらみつけ、レイは面白そうに声を出して笑うのだった。

青年海外協力隊の任期は二年だが、現任の隊員が延長の必要性を判断すれば、任期延長を申請することができる。美津子は、後任者との任期が数カ月重なるよう、半年の任期延長を申請し、事務所から受諾された。

任期が残り三カ月となった頃、レイは「行ったことがない場所に連れて行ってあげる」と言って、美津子をオートバイの後ろに乗せて近隣へのドライブに誘った。

比較的大きい川の河原にオートバイを停めると、レイは、河原の砂に何やら書きながら歌を歌い始めた。「砂浜に君の名を書いた。波が消したら困るから、あわてて消した。君の名は、『美津子』」当時、ラテンアメリカで流行していた「マリアイサベル」という曲目の、「マリアイサベル」というところを、美津子の名前に替えて歌いながら、レイは、河原に「Ｍｉｔｓｕｋｏ」と書いた。

## 十四　卒業式

美津子は、任期の終わりを一区切りとして、編みもの教室の卒業式を開催することにした。資金集めのために、週末にダンスパーティーを開いて入場料を集めた。セマナサンタが明けたばかりだったこともあり、ダンスパーティーは盛況で、盛大な卒業式が開催できるだけの資金が集まった。

ふんだんに資金が集まったことから、美津子は、アスンシオン在住のレタリングのプロに一文字数円の料金を払って、編みもの教室の生徒に渡す、美しい卒業証書を注文した。卒業証書は、全ての文字が、装飾された美しいアルファベットで書かれており、一枚一枚が、まるで芸術品のようだった。

美津子の卒業式を巡ってトラブルもあった。

美津子は、編みもの教室の開講当初から出席簿を付けており、出席率に応じて卒業証書を授与することにした。中には、一〜二度来ただけで編みものに興味を失い、以後通わなかった生徒もいたからだ。美津子が着任当初に生徒だった小学校の女性教員は、二年間に二度しか編みもの教室に出席しなかったにもかかわらず、知人を美津子の元に送って、卒業証書を受け取れるかと尋ねてきた。美津子は即座に、「出席率が悪いからあげない」と答えたが、その数週間後、生徒の一人が美津子に言った。「彼女、美津子のことを悪人と言ってい

美津子（中央）と2人の生徒。全員が手編みのセーターを着ました

たよ」美津子は、女性教員の自分本位な考えに半ばあきれながら、「私が悪い人なら、彼女は気のふれた人だ」と言ったのだった。

その三日後、女性教員は思い詰めた顔をして美津子を訪ねた。そして美津子にまくしたてた。「あなたは、私のことを気のふれた人だって言ったらしいけど、本当なの?」と言って、彼女は泣き始めていた。美津子は「私とあなたは、川の対岸にいるような関係じゃないのよ。私はあなたに悪意なんて

卒業式に集まった人たち。前列右から3番目が下宿屋の家主のドンペドロ。前列左から2番目がドンペドロの妻ニャチョーナ

持っていないわ。それを分かってほしい」と、説明した。女性教員は、彼女の口から出た「悪人」という言葉が悪意からではないと主張した。そして、美津子が「悪人」に対抗する言葉として使った「気のふれた人」という表現を訂正してほしい様子だった。

美津子は、卒業式の問題で、これ以上女性教員との関係をこじれさせるべきではないと思い、「気のふれた人、なんて言って悪かった。言い過ぎたわ」と謝り、女性教員は機嫌を直して帰宅したのだった。

卒業式には、ヘネラルベルナンディーノカバジェロの村長をはじめとして、村の主だった人は全て集まり、首都アスンシオンから、前農牧大臣も参列した。この村にユニセフのプロジェクトが立ち上がった時に、日本に青年海外協力隊を要請した大臣だった。前農牧大臣は美津子に、「生徒との後夜祭の席上で、最優秀生徒を選び、その子にこの賞品をあげなさい」と言うと、ニャンドゥーティ（蜘蛛の糸の意）と呼ばれるパラグアイ特産のレース編みの作品を美津子に手渡した。

美津子は、貧しい生活を送りながら一生懸命編みものを習い、恋人から子どもの認知を断られた、しっかり者のフリアを、最優秀生徒に選んだ。

## 十五　アゴスト

パラグアイの春の訪れは八月に始まる。八月になると、パラグアイの国のあちこちで、「アゴスト（スペイン語で八月の意）」の花が咲き始める。その色と形は、日本の菜の花にそっくりで、美津子は、毎年アゴストの花を見るたびに日本の春を思い出した。

一九八九年九月初旬、任期終了を控え、美津子は日本から持参した大きなスーツケースに荷物を詰め込み始めた。「私の持ち物で、何かほしいものある？」とレイに尋ねると、「ナショナル製のラジオがほしい」と答えた。逆に、レイからも、「美津子のお父さんへのおみやげに、ハンモックをあげたいんだけど、家の敷地に吊すところある?」と質問を受けた。

美津子の父は、イノシシの仲買をしており、猟師が罠猟《わなりょう》で捕獲したイノシシを買い受けて、関西地方の精肉業者に送っていた。猟師は、罠に掛かったイノシシを散弾銃や山刀で殺した後、濁った血が全身に回らないために、ほとんどはその場で腹を裂き、内臓を取り出して、腹の中を流水や川の水で洗ってから父のところに持ってきた。美津子の実家は、もともとは平屋だったが、美津子が小学五年生の時に二階部分を増築した。家の南側に新たに階段を作り、二階部分が山の斜面に載るように建築されたため、二階の基礎部分は、一階の屋根の奥でむき出しになっていた。地面と水平に並ぶむき出しの数本の柱は、猟師が持ってきた、死んだイノシシを吊すのにもってこいだった。冬ともなると、美津子の家の奥には、数体の死んだイノシシが常にぶら下がっていた。

レイからハンモックのプレゼントの申し出があった時、ハンモックを吊す場所として真っ先に思いついたのが、実家のその場所だった。美津子は、死んで内臓を抜かれ、ぶら下がっているイノシシの隣で、ハンモックで昼寝する父の姿を想像して苦笑した。
「吊す場所はあるけど、日本にはハンモックで昼寝する習慣がないから、たぶん父は使わないと思う」美津子がそう答えるとレイは、残念そうな顔をして、父への贈り物をあきらめた。

美津子がパラグアイから出国する日、任地から首都アスンシオンに向かう道のあちこちに、アゴストの黄色い花が咲き乱れていた。空港には、美津子の生徒たちは一人も見送りに来なかった。貧しい生徒たちには、ヘネラルベルナンディーノカバジェロ村から、首都アスンシオンの空港までのバス賃を捻出することは難しかった。三十〜四十人の協力隊員に交じって、パラグアイ人としては唯一人、レイが見送りに来ていた。見送りに来ていた全員と握手し、ドスベソス（「二回のキス」の意）と呼ばれる、両ほおへのキスを交わすと、美津子は半泣きになりながら搭乗した。

飛行機に乗り込み、機内の小さな窓から滑走路を見渡すと、アスファルトの切れ目に、アゴストの花が揺れていた。

## 著者プロフィール

### 井伊 美津子（いい みつこ）

団体職員
栄養士、公認心理師
島根県生まれ。兵庫県の私立短大を卒業後、スーパーマーケットの企画部に就職。その後、青年海外協力隊に参加してパラグアイに赴任。帰国後、県職員として定年まで勤務した後、現在は団体職員。
趣味は、ジョギング、編みもの、心理学の勉強。


## 八月が咲く国

2023年 8 月15日　初版第 1 刷発行

著　者　井伊 美津子
発行者　瓜谷 綱延
発行所　株式会社文芸社
〒160-0022　東京都新宿区新宿1－10－1
電話　03-5369-3060（代表）
03-5369-2299（販売）

印刷所　図書印刷株式会社




ISBN978-4-286-24366-5